On déménage

Anne Civardi

Rédaction : Michelle Bates

Illustrations : Stephen Cartwright

Maquette de couverture : Jan McCafferty

Traduction : Lorraine Beurton-Sharp

Il y a un petit canard jaune sur chaque double page. Cherche-le.

Voici la famille Lajoie.

madame Lajoie

monsieur Lajoie

Quentin Lajoie

Poune

Clémence Lajoie

Bidule

Quentin a sept ans et Clémence cinq ans. Ils vont bientôt déménager.

Voici l'ancienne maison des Lajoie.

Ils l'ont vendue à monsieur et madame Belamy. Aujourd'hui,
les Belamy viennent pour mesurer les pièces.

Les Lajoie visitent leur nouvelle maison.

Ils font repeindre la maison avant d'emménager.
Monsieur Lajoie discute avec ses nouveaux voisins.

Deux messieurs viennent poser de la moquette neuve dans plusieurs pièces.

Les Lajoie emballent leurs affaires.

Il leur faut plusieurs jours pour tout trier. C'est fatigant de faire les cartons.

Quentin s'occupe d'empaqueter ses affaires, mais Clémence a plutôt envie de jouer.

Les Lajoie déménagent.

Frank

Alex

Très tôt le matin, un gros camion de déménagement arrive pour charger les meubles et les cartons.

Annie

DÉMÉNA

Alex, le chauffeur, et Frank et Annie, qui l'aident, chargent tout dans le gros camion. Puis ils partent à la nouvelle maison.

Tout le monde aide à décharger le camion.

Arrivé à la nouvelle maison, Alex montre son camion à Quentin
et Clémence. Puis tout le monde commence à décharger.

Ils posent tout à l'intérieur.

Les déménageurs portent tous les meubles lourds. Madame Lajoie leur montre dans quelles pièces il faut les mettre.

Voici la nouvelle chambre de Clémence.

Clémence est tout excitée d'avoir une nouvelle chambre.
Son papa pose les rideaux.

Quentin a aussi sa chambre.

Maintenant Quentin n'a plus besoin de partager une chambre avec Clémence. Sa maman l'aide à déballer ses affaires.

Les Lajoie font la connaissance de leurs voisins.

Dans l'après-midi, les Lajoie font un tour dans la rue.

Ils rencontrent beaucoup de monde.

Mme Bon

Clémence et Quentin trouveront de nouveaux amis avec qui jouer. Madame Bon, la voisine, a fait un gâteau au chocolat.

Tout le monde va se coucher.

Monsieur et madame Lajoie, Clémence et Quentin sont très
fatigués après ce déménagement. Ils s'endorment très vite dans
leur nouvelle maison.